Nous remercions le Service des arts, de la culture et des lettres de la Ville de Gatineau, la Coopérative de développement régional Outaouais-Laurentides et la Société de développement des entreprises culturelles du Québec pour leur appui.

Néozoo
a été publié sous la direction de Julien Paré-Sorel.

Correction et révision :
Jean-Marc Pacelli, Jessica Savoie, Élodie Guitteaud
et Denis Duguay

Graphisme : Philippe Hébert

ISBN 978-2-923326-38-2
Dépôt légal – 1er trimestre 2013
Bibliothèque et Archives nationales du Québec
Bibliothèque et Archives Canada

Studio coopératif Premières Lignes
39, rue Leduc, Gatineau (Québec) J8X 3A3
info@premiereslignes.ca / www.premiereslignes.ca

Imprimé au Canada

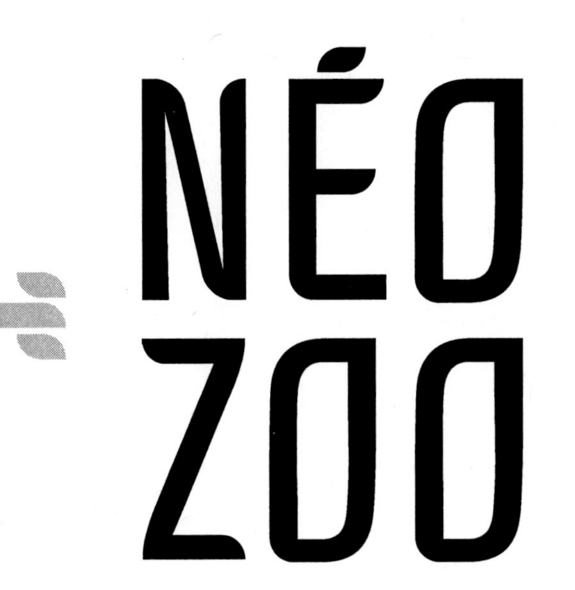

SCÉNARIO ET DESSIN

PHILIPPE HÉBERT

CARTE BLANCHE

Merci à Lyne, Daniel, Hélène et Julien
pour leur apport inestimable à ce projet.

Quelque part sur terre, aujourd'hui... ou très bientôt...

MUNCH
MUNCH

LATCH!!

SHHHP

GLOP
GLOP

WAP

T'en as déjà vu un comme ça, toi?
J'crois pas.

On pourra p't'être le vendre au NéoZoo.

On s'ra pas sorti pour rien aujourd'hui!

Tu peux l'dire!

Mais le gibier est de plus en plus bizarre !!!

Et c'est c'qui fait qu'c'est de plus en plus payant d'être braconnier.
Hey! Regarde là-bas! Y'a d'la lumière.

!!
?!

WoW! Le Néozoo payerait cher pour avoir ça!

Non! Ça va plutôt finir empaillé et accroché au-dessus de ma cheminée.
T'es sûr que...

Ben oui...
KAPOW

PAKLAOW
BROOOMMMM

Bienvenue à Scientiflic. Cette semaine: pleins phares sur les organismes génétiquement modifiés (OGM). On sait maintenant que leur présence généralisée dans la chaîne alimentaire...

..., est responsable de l'émergence de nouvelles espèces animales. Certaines espèces sont...

...inoffensives tandis que d'autres, comme le Pikbomz et l'Urumat se sont révélées particulièrement dangereuses.

Comme nous le savons maintenant, l'Urumat a la particularité d'exploser lorqu'il meurt de façon violente. Hier encore, deux chasseurs ont été victimes de leur ignorance.

Bien que de faible intensité, l'explosion n'a laissé aucune chance aux deux malheureux.

Autre phénomène préoccupant lié à l'utilisation massive d'OGM dans notre alimentation: d'étranges altérations spontanées de la physiologie de nos concitoyens.

Les steaks de bœuf saumoné sont prêts!

Après le repos...
RRRRRR
Tu t'en vas, Sophilily?
Je vais promener Sketch!

Avec ton appareil-photo ?
Zut!

C'est juste au cas où je rencontrerais un animal intéressant...

Tu sais que tu n'as pas la permission d'aller en forêt. C'est dange...

Pas d'soucis... Sketch est là pour veiller sur moi.
GRAT GRAT
D'accord, mais ne ren pas trop
À plus!

T.V-RADI

CRAC

Qu'est-ce qu'il y a, Sketch?

Non, Sketch. Il ne faut pas... mmm...

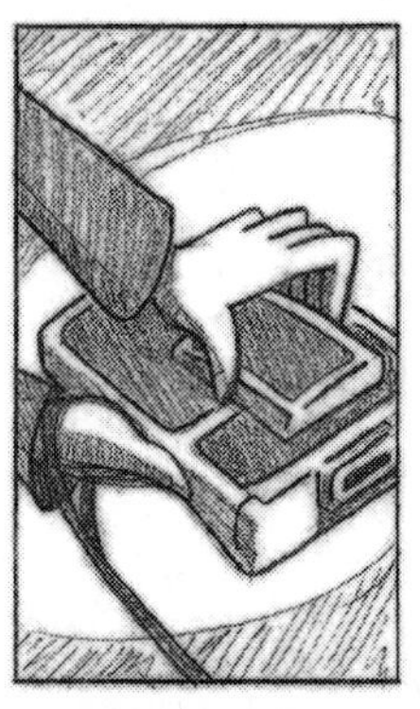

SCHLICK
PAULAROID

UN SBIFUR PADRAMENTEUX!!!

Allez mon joli, regarde par ici...

SNIF SNIF...
GRRRR

Zut !!!
CLIC

Sketch! Qu'est-ce qui t'a pris ?

PAULAROÏD
Mmm... Pas mal comme photo tout de même...

Si tu veux continuer à faire des promenades avec moi, tu devras rester plus calme. Et cesse de grogner!
GRRR...

Bonjour, chers téléspectateurs.

En direct des studios de la Cie INC, voici vos animateurs: Bill Board et Polly Graff!

Bonjour Polly!
Bonjour Bill!

Bonjour à tous en studio!
CLAP!
CLAP!
CLAP!
CLAP!
CLAP!

Dis-moi Polly, aimerais-tu posséder une maison qui s'entretient TOUTE SEULE? Elle ajoute des pièces par elle-même alors qu'elle poursuit sa croissance!

Oooooh, ce serait merrrrrveilleux Bill. Mais tu es fou! Ça n'existe pas!

Eeeeeh bien, tu te trompes Polly. Tu peux désormais acheter la toute nouvelle MAISON VÉGÉTALE!

Grâce à la Cie INC, spécialisée dans le développement de solutions novatrices en agriculture, tu peux faire pousser ta propre maison! N'est-ce pas mEEEErveilleux?
Tu peux choisir le modèle, la couleur, le type de feuillage et même le parfum exhalé par les murs de ta nouvelle demeure. C'est la maison verte par excellence!!!

C'est absolument fan-tas-tique !!!

N'est-ce pas ?! Et pour un temps limité, tu peux profiter de l'offre de lancement de seulement 300 paiements faciles de

2 500 EURODOLLARS.

Qu'en dis-tu, Polly ?

Je n'ai jamais été aussi heureuse ! Je crois que je vais pleurer.

Oooooooooo...

Vous aussi, à la maison, pouvez profiter de cette offre incroyable. Et si vous appelez dans les 30 prochaines minutes pour commander VOTRE Maison Végétale, nous vous offrons ce magnifique ensemble de mobilier de jardin 100% VÉGÉTAL !

Cette fantastique offre de lancement n'est disponible que pour un temps limité ! Ne ratez pas cette chance unique de posséder votre propre

MAISON VÉGÉTALE !

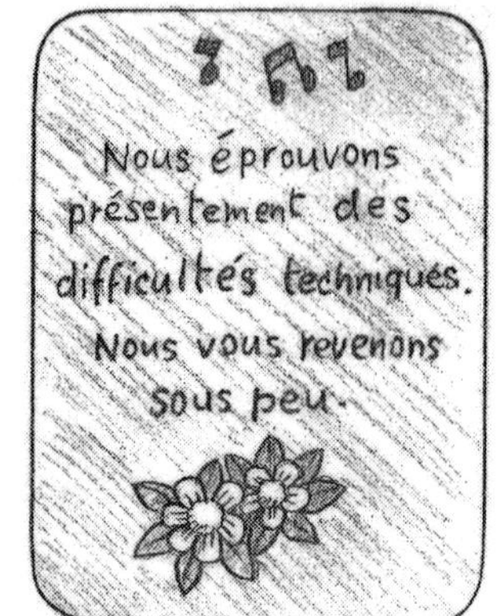

DEHORS FRANKENSTEIN
À BAS LES OGM !

Vous vous prenez pour Dieu et vous nous mettez tous en danger !!!

Nous éprouvons présentement des difficultés techniques. Nous vous revenons sous peu.

Wow ! Tu te rends compte, Sketch ? Une maison vivante ! Viens. C'est l'heure de mon émission télé.

Les Maisons Végétales
MAISON MODÈLE
Hé! Cette maison n'était pas là ce matin! Comment ont-ils fait?!?

Je suis revenuuue!
CLIC!

Bonsoir. Ici Paul Émiste.
Bienvenue à Débusquade,
le magazine qui met à jour les stratagèmes des entreprises soupçonnées de profiter de la crédulité des Consommateurs.

Aujourd'hui, nous parlerons des agissements de la Cie INC qui, depuis peu, fait la promotion de ses fameuses Maisons Végétales!
INC

Notre enquête nous a permis de découvrir que les maisons ont été mises en vente malgré plusieurs défauts plutôt inquiétants.

Les occupants des maisons se plaignent, entre autres, du vieillissement prématuré des structures, de la présence de germes porteurs de maladies et de parasites causant des allergies non répertoriées.

Ces inconvénients n'étant évoqués ni dans la publicité ni dans le contrat de vente, nous avons cherché à obtenir plus d'informations auprès de la Cie INC. Écoutons leur porte-parole, M. Mécan, à ce sujet:

« Tous ces inconvénients peuvent être évités si la MAISON VÉGÉTALE est bien entretenue. Nous offrons d'ailleurs, à prix raisonnables, tous les produits nécessaires à la préservation de la valeur de votre investissement. »

Urumat Déclèptif

Afin de se protéger de ses déprédateurs, l'urumat brille d'une blueure qui avertit ceux-ci du danger qu'ils courent en s'attaquant à lui. En cas de mort virolente, l'urumat conapse et brontifie, causant une expinaison de 27,2 grax sur l'échelle de Scpifft*. Le seul déprédateur capable de venir à bout de cette parade est le *Sarapentin Palfumiste*** dont la faleur exhale un parfallum somnipollant.

* Voir tableau 2.6 A.
** Voir page 227.

Sbifur Padramenteux

On le retrouve principalement dans la province du Spontre. Sa période de glapinerie dure de douze à quinze glattes. La femelle peut chponcer jusqu'à 2,4 clipsos. Très recherché pour la qualité de sa brochatte, il doit sa survie à sa fabuleuse capacité védentarienne.
Sa plus grande particularité: le son émis par ses zlodes badangulaires fait accourir les Pikbomz en mal de sifu.

Le lendemain matin, au siège social de la compagnie INC...

RECONNAISSANCE VOCALE
Docteur Alexandre Zeimer

BIENVENUE DOCTEUR
'DING'
GRR

QU'EST-CE QUE C'EST QU'CETTE HISTOIRE?
PRÉSIDENT

AI? Calme-toi. De quoi parles-tu?

De ce reportage à la télé! Est-il vrai que nos maisons développent des problèmes? Et que les gens doivent PAYER pour les faire réparer?

Euh... Effectivement. Mais laisse-moi t'expliquer. C'est une idée des Biomécans de modifier l'ADN de tes maisons afin d
QUOI?

Tu as laissé ces tas de ferraille TRIPOTER le code génétique de MES maisons?! C'est MOI l'inventeur des Maisons Végétales! De quel droit osez-vous?

Avec tout le respect que je dois à votre génie, vous êtes nul en mise en marché. Vendre des maisons sans besoin d'entretien et qui durent presque éternellement, c'est renoncer à des profits faramineux!

Zackarien! Mon vieil ami! Comment as-tu pu?

Allons, Docteur, calmez-vous.

AH VOUS! NE ME TOUCHEZ PAS!
GRR
TAC

Pendant ton absence, les Bio-mécans ont fait preuve de beaucoup d'initiative. Tu sais, depuis quelques temps, on ne te voit plus très souvent ici.

Tu sais très bien que c'est à cause de l'accident de ma femme! Elle a énormément besoin de moi!

Ben ça, c'est ton choix...

Ça suffit, Zackarien! Garde tes chiens savants et tes maisons pourries. Je démissionne! Je vais démarrer ma propre affaire. Nous verrons bien qui sera le plus apprécié des consommateurs!

Sujet: Dr Zeimer. Changement de catégorie: «Élément utile» tranféré à «Élément nuisible».

Merde...

Quelques mois plus tard, dans les studios de Télémégapole.
À VISAGE DÉCOUVERT
Bonsoir et bienvenue. Dans cette emission d'À visage découvert, ...

... nous recevons le Dr Zeimer qui prétend être le véritable père des maisons végétales. Il vend maintenant les siennes, appelées MAISONS ZEIMER. Selon lui, elles auraient toutes les qualités de celles de la Cie INC, sans en avoir les défauts.

CLAP
CLAP
CLAP
Le voici!

Bonsoir, Dr Zeimer.
Bonsoir. Appelez-moi Al.

Alors Docteur, en quoi vos maisons sont-elles différentes de celles de la Cie INC ?
MERA 1
CAMERA 2

Tout d'abord, les Maisons Zeimer sont faites d'ADN de cactus. Donc, elles nécessitent très peu d'arrosage et peuvent croître dans les régions désertiques.

De plus, des fruits et légumes poussent directement dans la cuisine. Des fleurs exhalent des substances stimulantes ou calmantes, selon les besoins. Les maisons recyclent les eaux usées et les résidus domestiques. Elles sont aussi garanties contre les maladies.

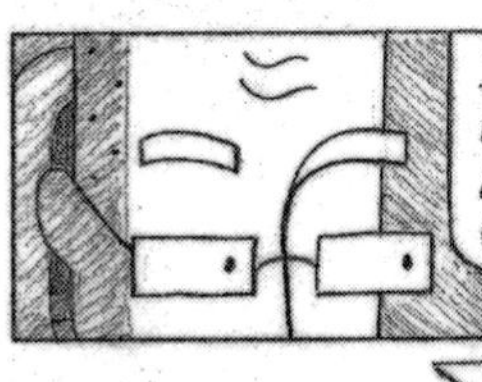

Justement, comment pouvez-vous nous assurer que vos maisons ne vont pas développer les mêmes défauts que celles de la Cie INC ?

C'est une simple question de programmation génétique. J'ai créé la Maison Végétale pour aider les humains. Pas pour profiter d'eux.

On dit que vous en avez eu l'idée au moment où vous étiez à l'emploi de la Cie INC.

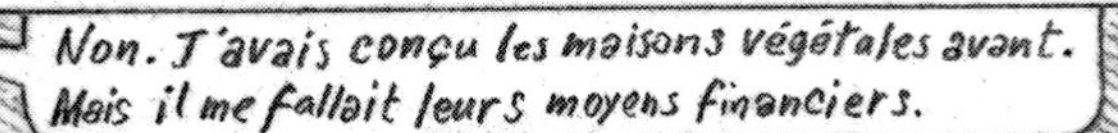

Non. J'avais conçu les maisons végétales avant. Mais il me fallait leurs moyens financiers.

Pourquoi avez-vous quitté la Cie ?

Nous avions des divergences de points de vue sur la mise en marché.

Et comment se fait-il que vous puissiez vendre vos propres maisons ? Ne détiennent-ils pas le brevet ?

Nous le détenons conjointement. L'entente stipule que chacun peut faire cavalier seul.

C'est David contre Goliath.

Ils ont l'argent. Et moi, le génie.

Avec tous ces supposés progrès scientifiques, je me demande si on ne joue pas à l'apprenti sorcier.

Mais non! C'est drôlement cool! Justement, il y a une végé-maison qui permet des visites libres tout près d'ici. Je peux y aller?
Pourquoi pas?

Et... je peux t'emprunter ton nouvel appareil-photo?
D'accord, si tu en prends bien soin.
Bien sûr!

Tu emmènes Sketch? Je ne crois pas qu'ils laissent entrer les chiens.
T'as compris? Tu restes ici mon gros.
GRAT GRAT

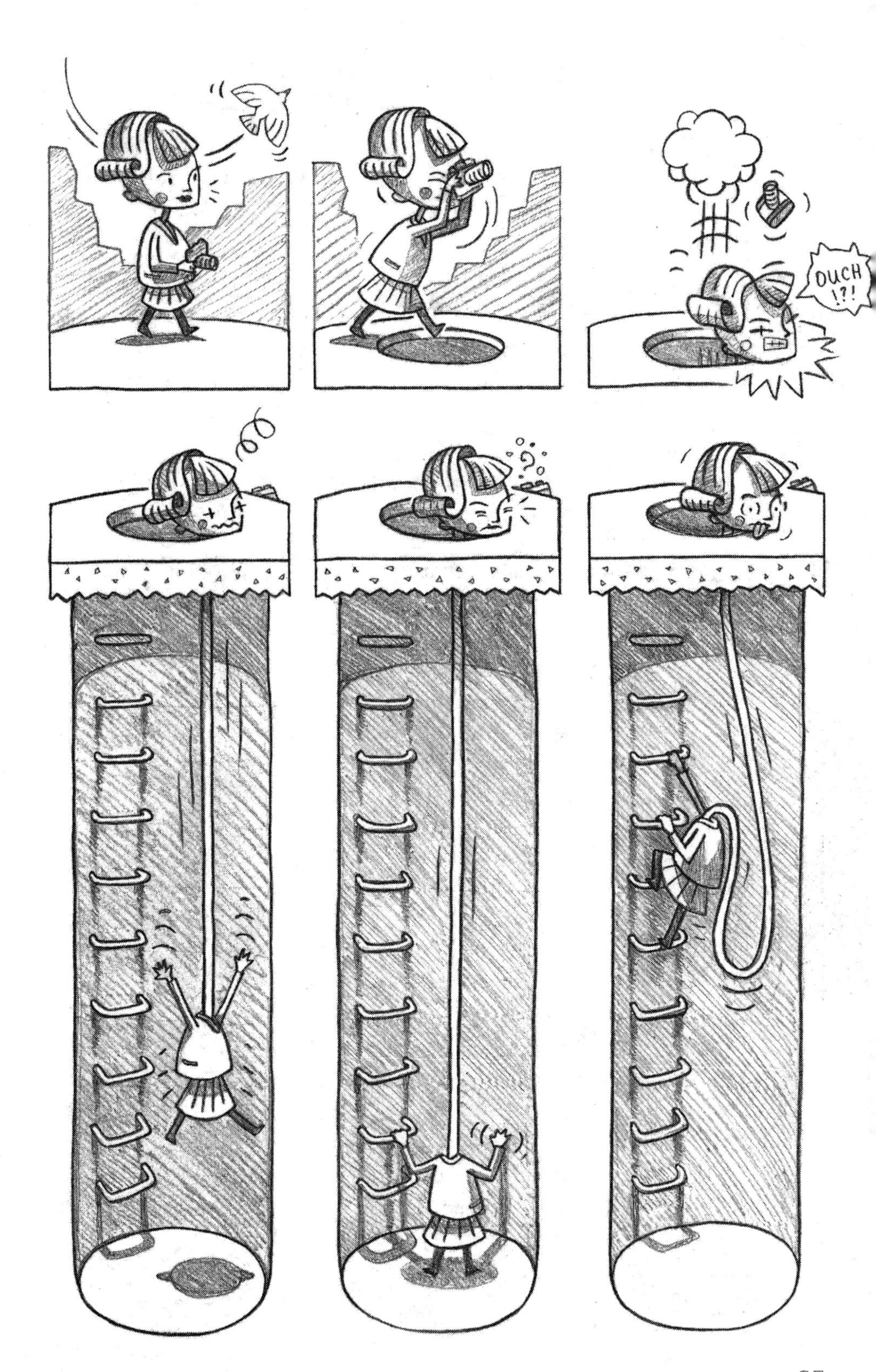
OUCH !?!

Humpf...

SNIF
SNIF

J'ai hâte de voir leur tête à l'hôpital. Ils ne doivent pas souvent voir de cas pareils.
TAXI

!

Ce cas me dépasse complètement. Par contre, les tests sont formels: hormis ce «petit inconvénient», vous êtes en parfaite santé, mademoiselle. Vous pouvez rentrer sans crainte à la maison.

Le lendemain matin, à l'école...

Alors écoute bien c'que j'lui ai répondu: ...

Salut les filles.

?!?!

SOPHILILY?!?
C'est bien moi.

Que t'est-il arrivé ???

Et bien, je...
Ohoho! Qu'avons-nous là ?!?!
?

Regadez-moi ça! Sophilily s'est fait installer une rallonge!
Fais voir.
Euh ...
Woah! Trop Cool, non?
Hé, Tommy ...
ATTRAPE!
Arrêtez!
ARRÊTEZ!
ARRÊTEZzzz!

RRRRRRRRING
Ah? Sauvée par la cloche. On se revoit à la récré? AHAHA!

Sophililly...
Nous...

FOUTEZ-MOI LA PAIX!

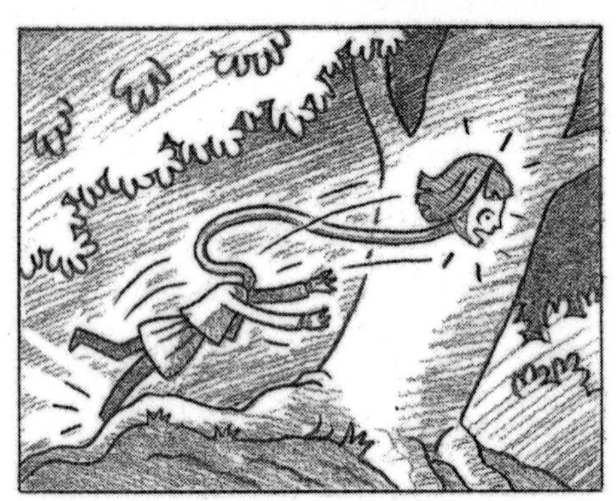

BWahahaaa, j'en peux pluuus!

GRRRR
FSHHH
?

KRSHH
GRRRR

Laisse-les tranquilles !!!

BOÏNK
POUF!

?!?
!?!?

KAÏ!

KAI
KAÏ
KAÏ
KAÏ

Plus tard, à la récréation...
OUAIS!

Alors Sophilily, prête à reprendre la partie ?

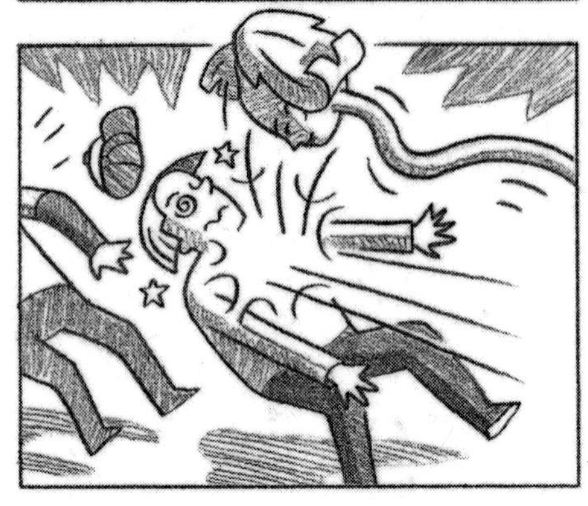

RHAAAAAH

HÉ! OÙ ALLEZ-VOUS? LA RÉCRÉ N'EST PAS TERMINÉE!

HOURRA! HOURRA!

Salut, c'est moi!

Comment a été ta journée?
MAIS...

Qu'est-il arrivé à tes cheveux?
Oh, c'est rien. J'ai inventé un nouveau jeu pour la récré.

Tu verras, Sketch. Dorénavant, tout ira bien.
GRAT GRAT

Et voilà! Avec ce sac-manteau, tu auras les mains libres.

Dans le sac, tu peux mettre ton cou...

... et sur les écouteurs, tu mets ta tête.
COOL!!!

Pour l'essayer, je vais aller au Néozoo. Merci papa!
Amuse-toi bien.

JARDIN NEO ZOOLOGIQUE

NEU
ZOO
BILLETS

« Le Broncove expinatif produit un œuf à la fois dans sa cavité jardinienne. Quand l'œuf est

arrivé à maturité, le Broncove est prêt à chpiner pour assurer la survie de l'espèce.

Il l'expulse à une puissance de plus de 380 bixtos.

L'œuf peut parcourir jusqu'à 500 kilomilles. Afin de limiter la reproduction du Broncove,

le jardin Néozoologique s'est doté d'une tourelle antiaérienne. Ceci limite aussi les risques

de malchançation catacombienne.

?!

Hmm... D'après toi, Sketch : résident ou visiteur ?
Rof !

Oooooah ! Allez viens Sketch. Rentrons. Il se fait tard.

Bon. Voyons voir l'horaire du bus.

?

SNIF
SNIF
SNIF

GRRR

?!?

KAÏ!

HU HU HU HU
Sketch! Pourquoi es-tu si pressé? Le bus ne passe que dans 10 minutes.
SORTIE
KAÏ!

Pendant ce temps...

Bonsoir Docteur . . .
?!

Content de nous revoir . . . n'est-ce pas ?

TAC TAC TAC

Bobom Bobom

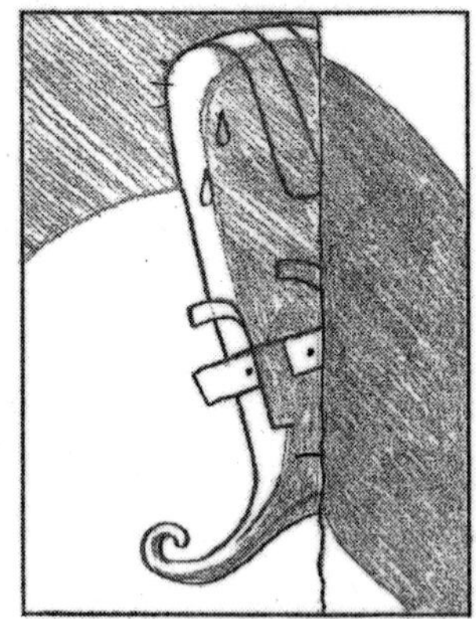

Allons Docteur, pourquoi retarder l'inévitable? Rendez-vous!

Tout doux, tout doux...

ZUT! ET RE-ZUT!

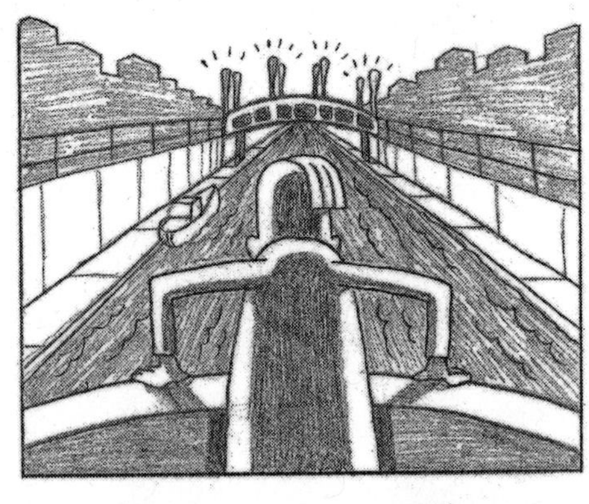

Au diable mon lumbago!

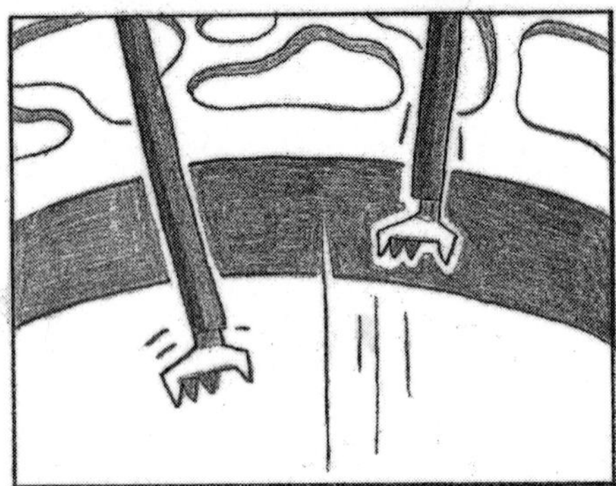

KA PLOUSH

Ouf ! Sauvé! Le courant m'emporte.

Le seul ennui, c'est que... JE NE SAIS PAS NAGER !!!

AU SECOURS!

Un peu plus loin...
Alors Sketch, belle journée?
arf!

À L'AIDE!

Mon Dieu! Que faire?
AU SECOURS!

Attrapez-moiiiiii!

?
!
?

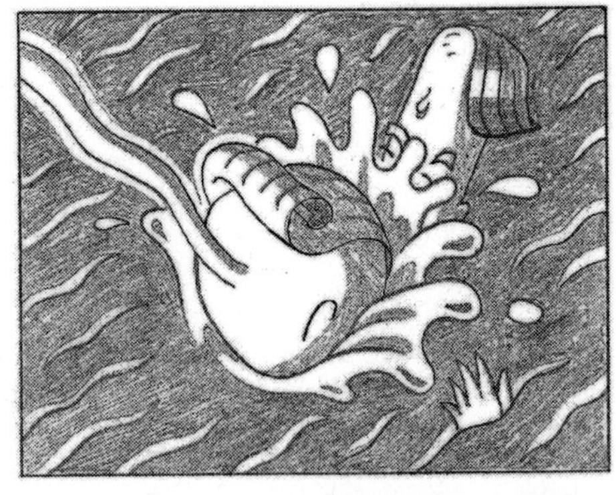

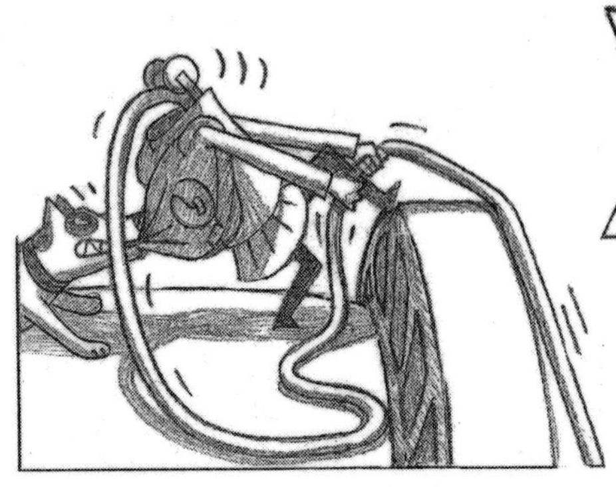

Oh! Dr Zeimer! Ravie de vous rencontrer!
Euh... moi aussi...

Ouf! Merci!
Pas d'quoi!

!!! Saletés!

On ne peut pas rester ici!
Quoi?

Où allons-nous ?!

Grrr
LÀ! Un taxi!

DÉMARREZ !!!

GRRR...

Mais qu'est-ce que c'était ?!?

Et que veulent-ils?

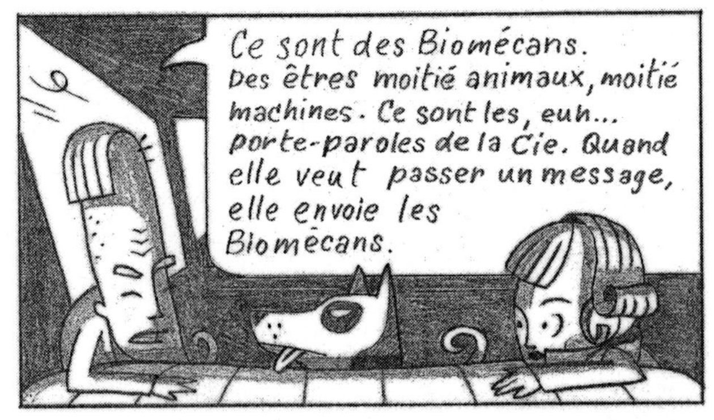
Ce sont des Biomécans. Des êtres moitié animaux, moitié machines. Ce sont les, euh... porte-paroles de la Cie. Quand elle veut passer un message, elle envoie les Biomécans.

Mais oui! Maintenant que j'y pense, j'ai vu un de ces types à la télé. Il s'appelait M. Mécan. Il avait pourtant l'air très gentil.

Je ne voudrais pas paraître indiscret, mais pourrais-je savoir où vous désirez être conduits?

Je ne peux pas retourner chez moi. C'est trop dangereux.

Venez à la maison!
Mmm... C'est une idée.
FROT FROT

Alors, que s'est-il passé pour que la Cie vous veuille autant de bien?
Oh... C'est une longue histoire...
TAXI

Durant mes années passées à l'emploi de la Cie, j'ai travaillé sur...

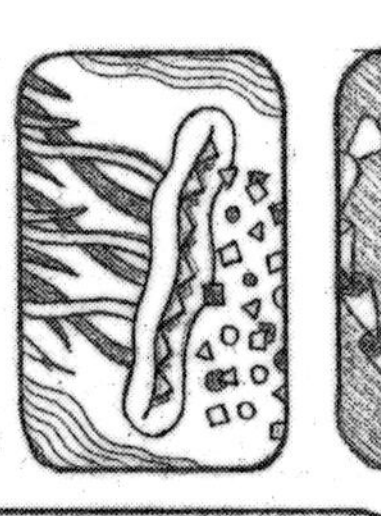
...de nombreux projets de recherche en biotechnologie.

...et notamment sur les croisements génétiques entre espèces végétales et animales. Ces expériences,...
... je dois le dire, n'étaient pas sans risques pour l'ensemble de la biosphère.

Parmi mes réussites: l'Autruche-Rosier, dont le parfum n'a d'égal que l'exquis goût de ses œufs.

Ou encore, le Mouton-Pommier, qui fournit du lait et des pommes pour se nourrir, ainsi que de la laine pour se vêtir.
PRINTEMPS
AUTOMNE

As-tu déjà chevauché une Autruche-Rosier ? C'est une monture très rapide et peu farouche.
Non. Mais j'aimerais bien essayer.

Attends! Je crois bien en avoir sur moi.
AUTRUCHE ROSIEX

Ah! Voilà. Prends ce sachet. Tu n'as qu'à mettre en terre et arroser. Tu verras. C'est très rapide.

Oh! Regarde! N'est-ce pas le siège social de la Cie INC? J'ai du mal à bien voir sans mes lunettes.

Wow! Quel château! C'est de vous, ça?
Oui.
C'est magnifique! Pourquoi avez-vous démissionné?

C'est une longue histoire, mais en gros...

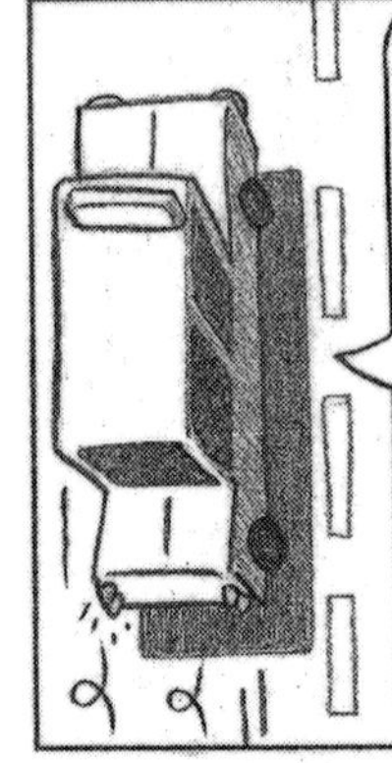
...les maisons que j'avais conçues étaient sans défaut, mais la Cie a placé des erreurs dans le code génétique afin que les maisons nécessitent des traitements et de l'entretien. Les acheteurs de Maisons Végétales seront donc obligés de payer pour les produits et services de la Cie. Ça semble être l'oeuvre du président Zeckarien Kramzy. Je crois que les perspectives de profits lui sont montées à la tête.

Nous étions amis autrefois, mais... après ce qui s'est passé aujourd'hui...

On y est !

Tu sais que ton long cou est probablement l'effet d'une modification de ton ADN par un OGM mal ficelé. Je pourrais t'arranger ça.

Oh, merci. Mais je ne suis pas certaine de vouloir redevenir comme avant, du moins pour le moment.

J'aime bien expérimenter les possibilités que me donne ce long cou. D'ailleurs, c'est ce qui vous a sauvé aujourd'hui.

Oui, et je trouverai bien le moyen de te remercier.

`A propos, tu ne m'as pas dis ton nom.

Sophilily.

Enchanté!

Quelques jours plus tard...

... Alors, lui dit le médecin, qu'est-ce qui vous ennuie? Votre mari ne veut plus travailler? Non, lui répond l'épouse. Mais il dort la bouche ouverte et la petite lumière au fond m'empêche de dormir!

HA HA HA HA HA HA

HA HA HA! Sophilily n'a pas son pareil pour raconter des blagues. Et quelle mémoire!

Mes amis, j'aimerais profiter de cette belle journée pour vous témoigner ma reconnaissance.
Je vous ai réservé une «petite» surprise... façon de parler, bien sûr.

J'ai toujours avec moi des échantillons de mes découvertes.

Suivez-moi, je vous prie...

RECULEZ !!!

Entrez! Et ne craignez rien. Sa naissance est terminée.

WOW!
C'est...
génial!
N'est-ce pas...

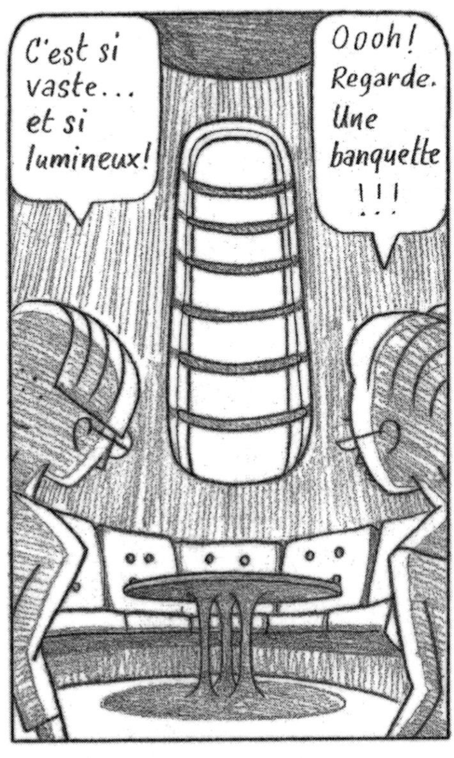
C'est si vaste... et si lumineux!
Oooh! Regarde. Une banquette !!!

La cuisine est tout équipée!
Et 100 % biologique!

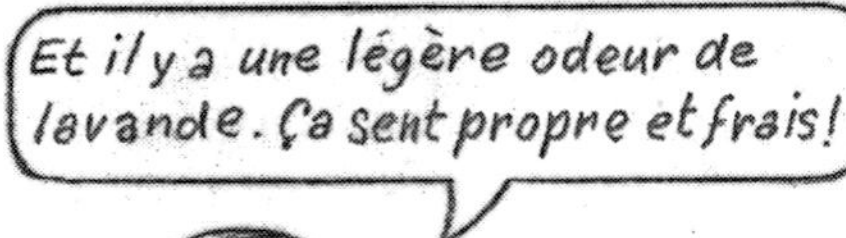
Et il y a une légère odeur de lavande. Ça sent propre et frais!

Ouwow, super-confo!!!
Ouiii!

Et voici la salle de spa et d'exercice, avec trampoline, mur d'escalade, bain de boue et sona!
Wow!
Extra!
BLOP! BLOOP!

Un bain sur patte !!!

Allons voir la terrasse...

Vous êtes un véritable génie !!!
Oh, je n'ai aucun mérite. Je suis né comme ça...
On voit le stade!

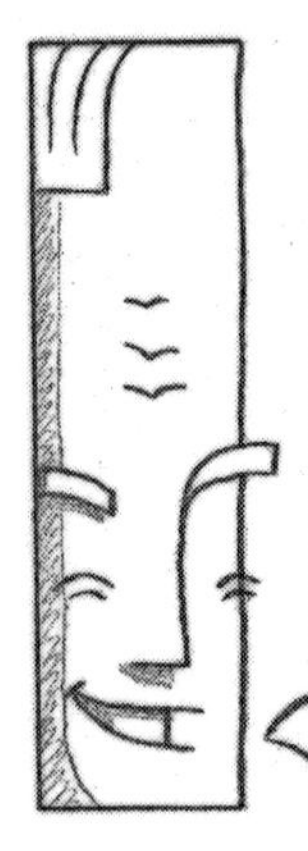
Et si vous le désirez, je peux changer la couleur des murs, l'odeur, la disposition et la taille des lits, etc. Je n'ai qu'à injecter un virus modificateur d'ADN à la maison pour apporter les modifications souhaitées.

Bidi bidi bidi...
Bidi bidi bidi...
'scusez-moi...
Oui, allô?
?
C'est bizarre...
Il n'a pas de téléphone dans sa main.
Il fait semblant ou quoi...
Ah oui... Et pourquoi donc. Anhan... Tu me dois des excuses. ... Quand... C'est entendu. Ciao!
Désolé. C'était un appel très important.
Mais avec QUOI parliez-vous? Vous n'aviez rien dans votre main.
Avec ceci. C'est le 1er portable TATOUÉ avec une encre semi-conductrice. Les micro et haut-parleur sont insérés sous la peau du pouce et de l'auriculaire. Il utilise l'électricité du corps humain.
Je l'ai fait breveter récemment.
Vous avez l'air ravi. Bonnes nouvelles?
Oui! La Cie m'invite à ses bureaux pour me faire une nouvelle proposition.
Ne me dites-pas que vous y allez !?!
Si! Mais j'ai exigé que mon ami et journaliste Paul Émiste soit présent. Avec un témoin aussi prestigieux, jamais ils n'oseront quoi que ce soit contre moi.

Deux heures plus tard...
Salut! Toujours aussi mordu des bagnoles de luxe?
Jaloux! Tiens, tel que demandé je suis passé chercher tes lunettes de rechange. Prêt?
Dr Zeimer!
J'ai peur pour vous... à cause des Biomécans...
Allons-allons! J'ai fait savoir à la direction de la Cie INC que si je vois ne serait-ce que l'ombre du bout du pied d'un Biomécan, je décampe et ç'en est fini des négociations!
Mais...
Alors ne t'inquiète pas.

Bon-bon-bon! Je dois partir. Laisse les grandes personnes s'occuper des choses sérieuses. Au revoir!
Karl! À la Cie INC S.V.P.
Ah, ces adultes... Grr!

Ce soir-là, au siège social de la Cie INC...
Tu vois bien, Paul, pas le moindre Biomécan !
Oui, mais restons tout de même sur nos gardes...

Tiens... ils ont refait la déco depuis ma dernière visite.

Bonsoir, Al. Content de te revoir.
J'aimerais pouvoir en dire autant, Zackarien.

Tu es en colère et je te comprends. Asseyez-vous dans ces fauteuils. Je viens de les recevoir en cadeau.

Alors, tes derniers échanges avec notre Cie n'ont pas été très cordiaux...
Tes ouvre-boîtes sur pattes ont essayé de m'enlever! J'espère que tes propositions concernant les Maisons Végétales sont sérieuses, sinon...

Je ne t'ai pas fait venir pour te parler des Maisons Végétales.
Ah non? Mais alors, pourquoi donc?
Je veux que tu reviennes travailler avec moi.

Quoi? Jamais de la vie!!! Toi et tes Biomécans êtes devenus complètement fous!
Je comprends ta réaction, mais je n'y suis pour rien. C'est EUX le problème.
Je ne les contrôle plus!

Quand je les ai créées, je voulais combiner les qualités évolutives des animaux et l'intelligence artificielle pour en faire des machines capables de s'adapter à des environnements variés et changeants.

Malheureusement, l'instinct animal a pris le dessus et ils ont trouvé dans le capitalisme sauvage un exutoire à leur instinct de survie. Ils pratiquent la sélection naturelle par l'entremise de notre structure de mise en marché.

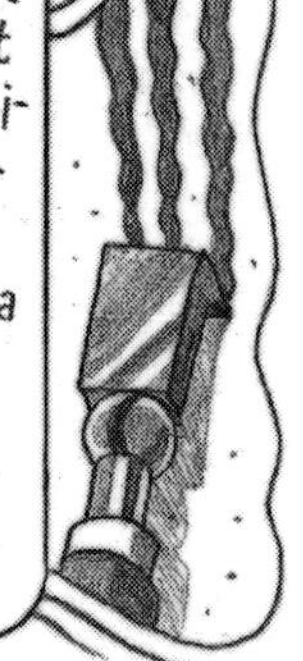

Tu veux dire qu'ils cherchent à carrément éliminer la concurrence?
J'en ai bien peur.

Mais quel est donc cette manie des inventeurs de croire qu'ils peuvent créer un monstre et le garder sous contrôle. Révisez vos classiques! Frankenstein, Le Parc jurassique... N'est-ce pas, Al?
Heuuu...
Quoi?

Il ne répond pas, parce qu'il est lui-même le père d'un monstre: le PIKBOMZ!

NON! C'est vrai?!
Ou-Oui...

Lorsque je travaillais pour la Cie, j'ai fait des études sur les croisements génétiques entre les mondes animal et minéral.

Hélas, les Pikbomz se sont échappés. Ils se reproduisent si rapidement qu'il est pratiquement impossible de les éradiquer.

Alors là, ça me scie! Comment peut-on être aussi intelligent et inconscient à la fois!? Vous méritez bien ce qui vous arrive! Bon. Qu'allez-vous faire maintenant?

Pour le moment, nous devons nous occuper des Biomécans. Il faut trouver un moyen biologique ou électronique de les ramener à la raison. Sinon, leurs méfaits pourraient ne pas se limiter à l'architecture verte. J'ai découvert qu'ils utilisent les habitants des Maisons Végétales comme cobayes, à leur insu. Je suis de plus en plus isolé! J'AI BESOIN de toi, AL!
Mais... je... bon, d'accord! Je vais essayer de...
DE FAIRE QUOI, AL?

LES BIOMÉCANS!
QUE FAITES-VOUS ICI ?!?

J'espère que vous êtes confortablement assis, messieurs.
FAUTEUILS-GEÔLIERS: FERMEZ !!!

?
?!
!
?

Désolé, Président Kramzy. Votre manque d'agressivité dans la conquête de nouvelles parts de marché nous force à vous destituer de vos fonctions. Nous prenons désormais le contrôle de la direction. En ce moment-même...

...des Biomécans s'affairent à injecter un virus aux maisons du Dr Zeimer, modifiant leur ADN et les rendant inhabitables. C'en est fini des Maisons Zeimer!

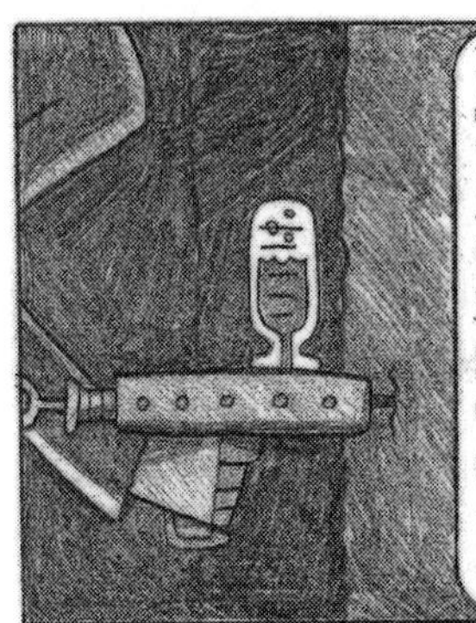
L'eau et les aliments fournis par la maison seront empoisonnés. Les habitants seront pris de malaises et de démangeaisons atroces.

Des pointes de cactus acérées sortiront violemment des planchers, murs et plafonds.

Les maisons vont sécréter des odeurs capables d'attirer les Dermatronites Carnivores à des kilomètres à la ronde.

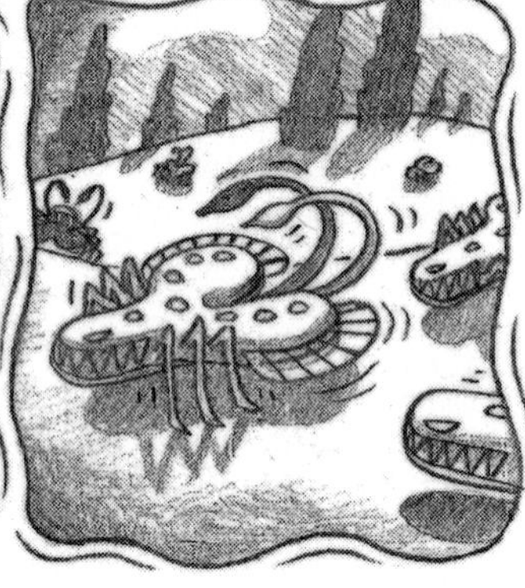

Tout le monde sait que nous sommes ici! Vous ne pourrez pas nous retenir !!!

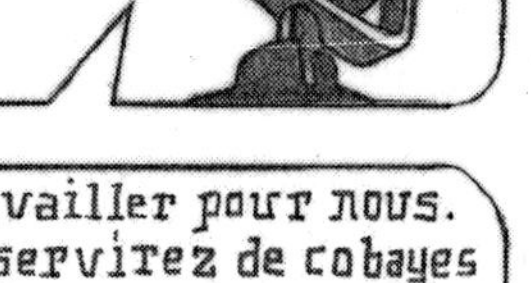
Nous avons tout prévu. Un clone de M. Paul Émiste annoncera à son émission que vous vous êtes volontairement joints à notre équipe afin de poursuivre la grande mission de la Cie INC.

Vous, Dr et M.Kramzy, allez travailler pour nous. Sinon, comme M.Émiste, vous servirez de cobayes dans nos expériences. Descendez-les à la ménagerie.

Au même moment...

Grrrrrrr
GAA!
ARF
ARF

CRACC

WRAF WRAF

Sketch! Que se passe-t-il?
CROC

?

Ho! Le logo de la Cie! Je l'aurais juré! Sketch, le Dr a besoin de nous. Mmm... Il va me falloir un moyen de transport.

À la ménagerie de la Cie INC...

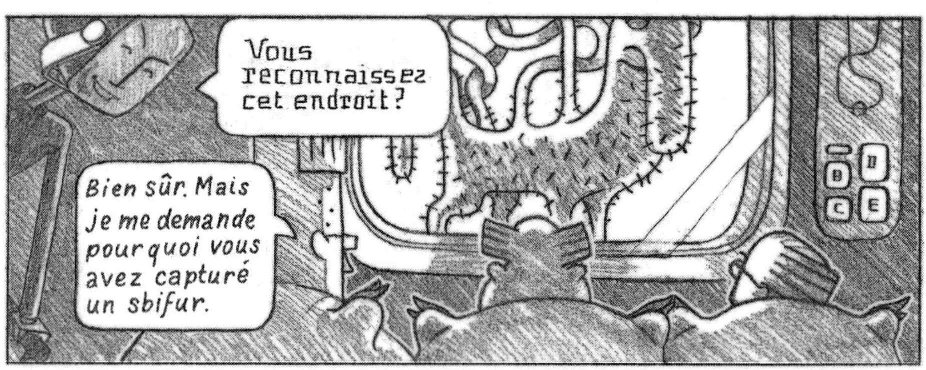
Vous reconnaissez cet endroit?
Bien sûr. Mais je me demande pourquoi vous avez capturé un sbifur.

Parce que sa capacité à attirer les Pikbomz nous intéresse. Nous sommes excédés par le comportement des manifestants anti-OGM et anti-culture transgénique. Des Pikbomz apprivoisés nous seraient d'une grande utilité afin de refroidir leur ardeur.
NON
DÉ-GÊNES-ÉRÉS

Et vous comptez sur moi pour accomplir cette ignoble tâche...
En tant que créateur, c'est à vous que revient la responsabilité de canaliser l'énergie de ce fléau.
Pour satisfaire vos délires de répression ? JAMAIS !
Allez au diable!!

Peut-être changerez-vous d'avis quand nous testerons des améliorations génétiques sur votre ami Paul Émiste. Je vous laisse réfléchir entre les pattes de nos fauteuils-geôliers. Vous avez 30 minutes.

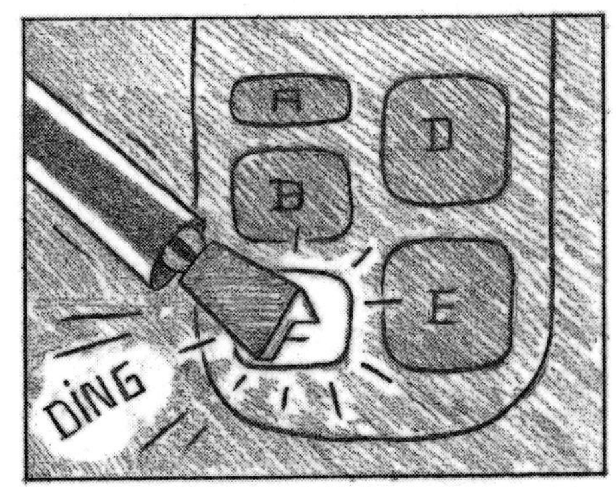
DING

BZZZZZ...

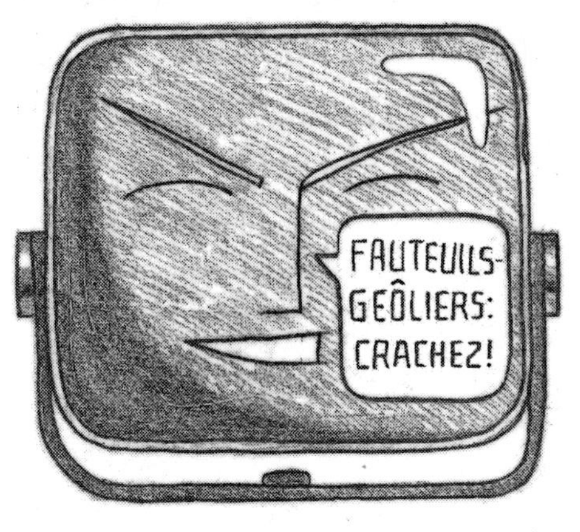
FAUTEUILS-GEÔLIERS: CRACHEZ!

?

PTUI

Ne vous en faites pas trop, M. Émiste . . .

BZZZZZZ
Je suis convaincu que vos amis sauront prendre la bonne décision. Ahaha...

Mon cellulaire ne capte aucun réseau.
Le mien non plus. Ils doivent bloquer le signal.

!?!
HÉ! REGARDEZ!

Mais... C'est l'une de mes autruches-rosiers!?!

Cou cou !!!
Sophilily!

Actionne l'ouverture de la porte!

Quoi? J'entends rien.

Ap-puie sur-le bou-ton.

Ah oui! Je vais essayer.

Et UN!
Et deux ...

Et trois!

PAF

AOUCH

OK.
Je recommence.
Un peu plus bas...

...et un peu moins fort...

OUMF!
BIP

HOURRA!!
BZZZZ...

MERCI LiLiii!!!
Y'a pas d'quoi ...

Sortons vite d'ici!
Il faut qu'on emmène le sbifur!
Mais... comment?
Je crois savoir!

Il n'est pas dangereux?
Non, c'est un végétarien.

Entrons tous dans sa cage.
Mais... On vient de sortir!
Sophilily! Écarte-toi de la fenêtre. Vite!!!

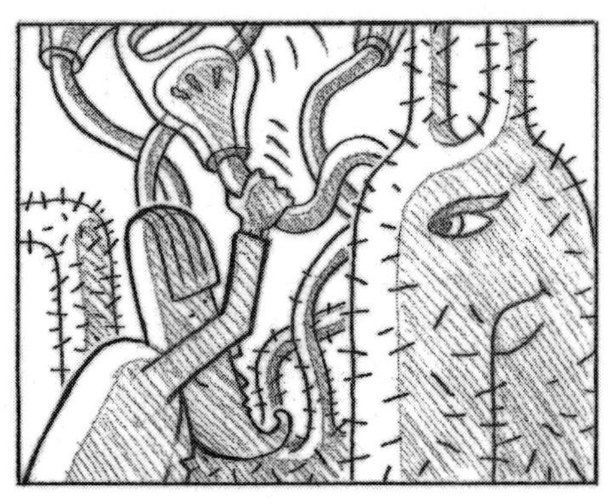

POP

Mais, mais... Que faîtes-vous?
WUUUUUUUUUUUUUUUUUUU
J'envoie un appel à l'aide.

Que se passe-t-il ici ?
Attrapons-les !

Nous sommes re-faits !
Pas encore ! ÉCOUTEZ !!!
BRRRRRRR

CRACH !

Sophilily ! Viens !

J'arrive...
DOUG DOUG DOUG
J'ai juste un petit compte à régler.

LA VOITURE EST LÀ!

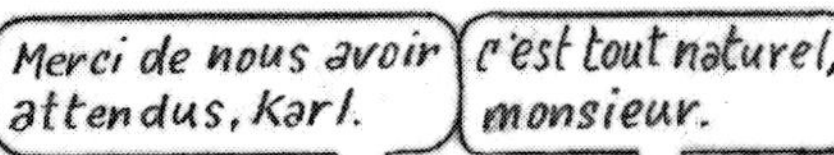
Merci de nous avoir attendus, Karl.
C'est tout naturel, monsieur.

Croyez-vous qu'ils vont nous poursuivre?
Non. Ils n'oseront pas nous attaquer au grand jour. N'oubliez pas que l'image est tout, pour eux.

Pardon, monsieur. J'écoutais la télé pendant votre absence et il y a un flash-info sur les maisons du Dr Zeimer.
Abaissez l'écran, Karl.

Zut! J'ai oublié de vous prévenir! Un Biomécan a tenté de piquer ma maison vivante pour lui injecter je ne sais quelle cochonnerie. Mais Sketch a réussi à l'en empêcher.

DJIII-CLIC!
?

Pour ceux qui viennent de se joindre à nous, je rappelle que nous sommes en direct du site de l'une des premières Maisons Végétales du Dr Zeimer. Depuis cette nuit, celles-ci semblent être en proie à une sorte de mutation.
CBFT

Le sommet des maisons enfle et se déforme d'étrange façon. Se pourrait-il que, contrairement à ce qu'affirmait le Dr Zeimer, ses maisons ne soient pas exemptes de défauts et de maladies?

Le Biomécan n'a pas menti cette nuit. Ils ont sans doute transmis le virus à tes maisons. Il faut prévenir les habitants. Ils courent de graves dangers. Mais pourquoi souris-tu? L'heure est grave, non?
Nous verrons bien. Écoute...

Le phénomène semble s'accentuer! Le sommet des maisons se déforme de plus en plus! Mais que se passe-t-il? LA TERRE TREMBLE... ON DIRAIT QUE LES MAISONS VONT EXPLOSER!?!

« Oooh... C'est magnifique. Les maisons ont fleuri et... snifff... leur parfum est fabuleux !

Dis-donc p'tite tête ! Tu savais que le plan des Biomécans ne marcherait pas !

Disons que je me doutais qu'ils voudraient me mettre des bâtons dans les roues. J'ai donc programmé l'ADN des maisons afin de contrer les attaques virales. Elles passent automatiquement en phase de reproduction accélérée. Leurs SEMENCES AILÉES vont se répandre aux quatre vents. Finie la crise du logement... et finie aussi la crise alimentaire d'ailleurs ! Hihihi !

Karl ! Emmenez-nous là-bas S.V.P.
Bien monsieur.

T'es fier, là !

Quelques mois plus tard, au jardin Néozoologique...
Bon. Voyons si l'on parle de nous là-dedans.

Ah. Voilà quelque chose...
CLIC

CYPRESS

Le siège social de la Cie LNC atteint d'un mal mystérieux

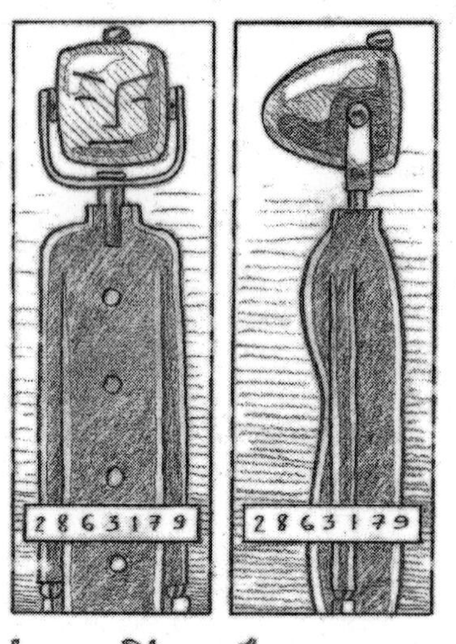

Les Biomécans sont accusés de rapt

Nourriture et Logement pour tous

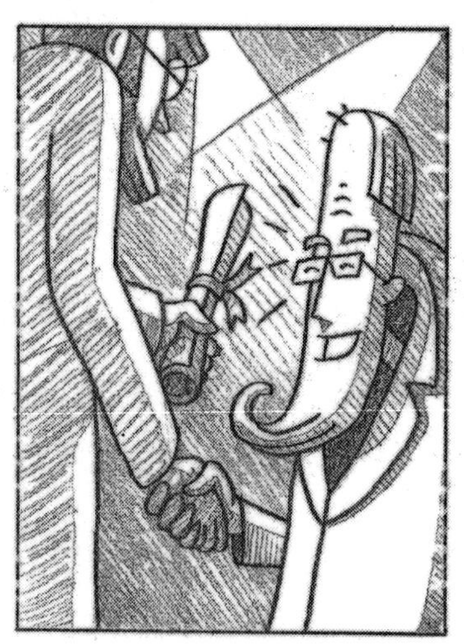

Prix Nobel de génomique au Dr Zeimer

Les maisons du Docteur ne font pas que des heureux

Vous vous intéressez au Dr Zeimer, mademoiselle ?

?

COUCOU!

Dr Zeimer!

Où étiez-vous ?! Voilà des semaines que je n'ai plus de vos nouvelles et... Mais pourquoi portez-vous ce masque ?

Euh... disons que je dois me faire discret. Mes maisons vivantes ont réglé les problèmes de famine, mais l'association mondiale des travailleurs de l'agro-alimentaire me rend responsable de l'effondrement du prix des aliments... Même chose pour le syndicat international de la construction. Certains nouveaux chômeurs aimeraient bien me rencontrer dans une ruelle sombre pour me remercier... à leur façon.

On ferme, m'sieur-dame.

Et toi, qu'as-tu à voir avec la ruine du siège social de la Cie INC ?

Ils ont tenté de s'en prendre à ma maison. J'ai simplement retourné la politesse...

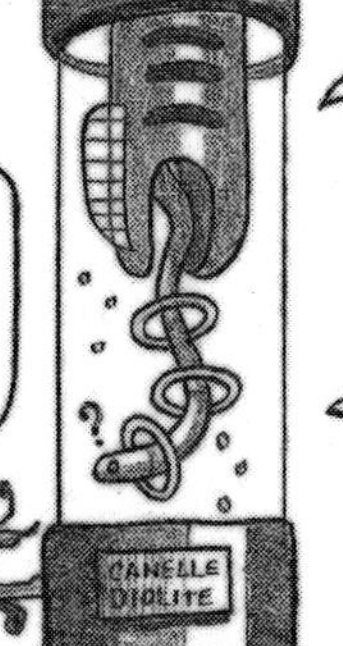

Donc, Sophilily, en plus de me sauver la vie une deuxième fois, tu as mis hors-circuit les Biomécans. Bravo!

Croyez-vous que nous soyons débarrassés d'eux ?

J'en doute. Mais ils n'ont plus de raison de s'en prendre à nous. Nous ne sommes plus concurrents.

Alors Dr, après tout ça, avez-vous encore envie de bricoler de nouveaux êtres vivants?
Mmmh... disons que je vais être plus prudent.
Moi, ça me fait peur. Est-ce qu'on ne pourrait pas laisser faire la nature?

Oh, tu sais Sophilily, l'histoire nous démontre que la science poursuit ses avancées pour le meilleur et pour le pire.
Ce fut vrai pour le feu, comme pour le nucléaire.
La même chose se produira pour la génétique... Et en fait, je crois que nous n'aurons pas le choix.
Que voulez-vous dire?

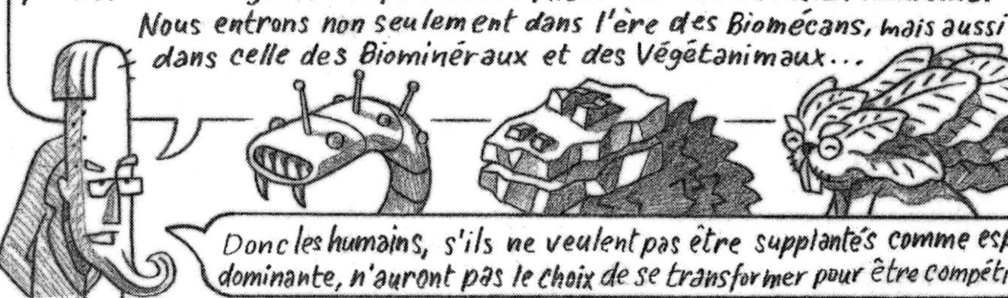
D'après ce que j'ai entendu dire, les Biomécans de la Cie INC n'étaient que la pointe de l'iceberg. Des amis scientifiques m'ont amené les preuves de formes de vie organisées qui se multiplient sans intervention humaine.
Nous entrons non seulement dans l'ère des Biomécans, mais aussi dans celle des Biominéraux et des Végétanimaux...
Donc les humains, s'ils ne veulent pas être supplantés comme espèce dominante, n'auront pas le choix de se transformer pour être compétitifs.

C'est une question de survie.
Et ça ne vous fait pas peur?
Non. J'ai déjà commencé.
Voici une photo de moi autrefois.

Le nouveau moi est ultra-génial!
Et très modeste en plus.

Personnellement, je pense que nous vivons une époque fantastique!

Hé! Aimerais-tu voir ma nouvelle maison? C'est tout près d'ici.
Bien sûr.
TADAAM!
Pas mal!

Vous avez gardé le sbifur padramenteux !?!
Oui. L'idée des Biomécans de l'utiliser pour communiquer avec les pikbomz est excellente. Je vais y consacrer mes prochaines recherches.
BZZZ

Et comment allez-vous financer vos recherches maintenant que vos maisons sont gratuites?
Ah! Un instant...

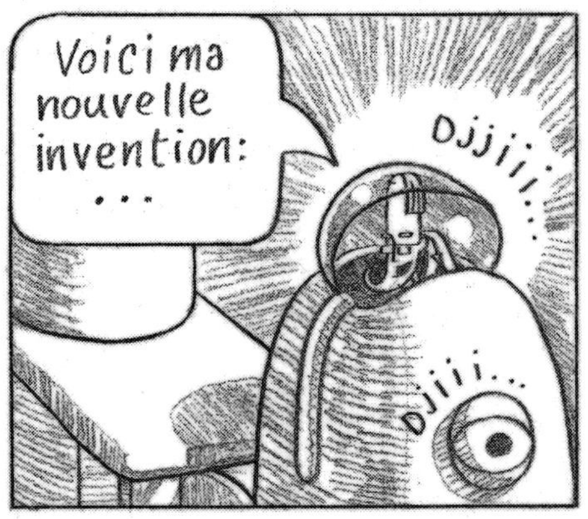
Voici ma nouvelle invention: ...
DJJiii...
DJiiii...

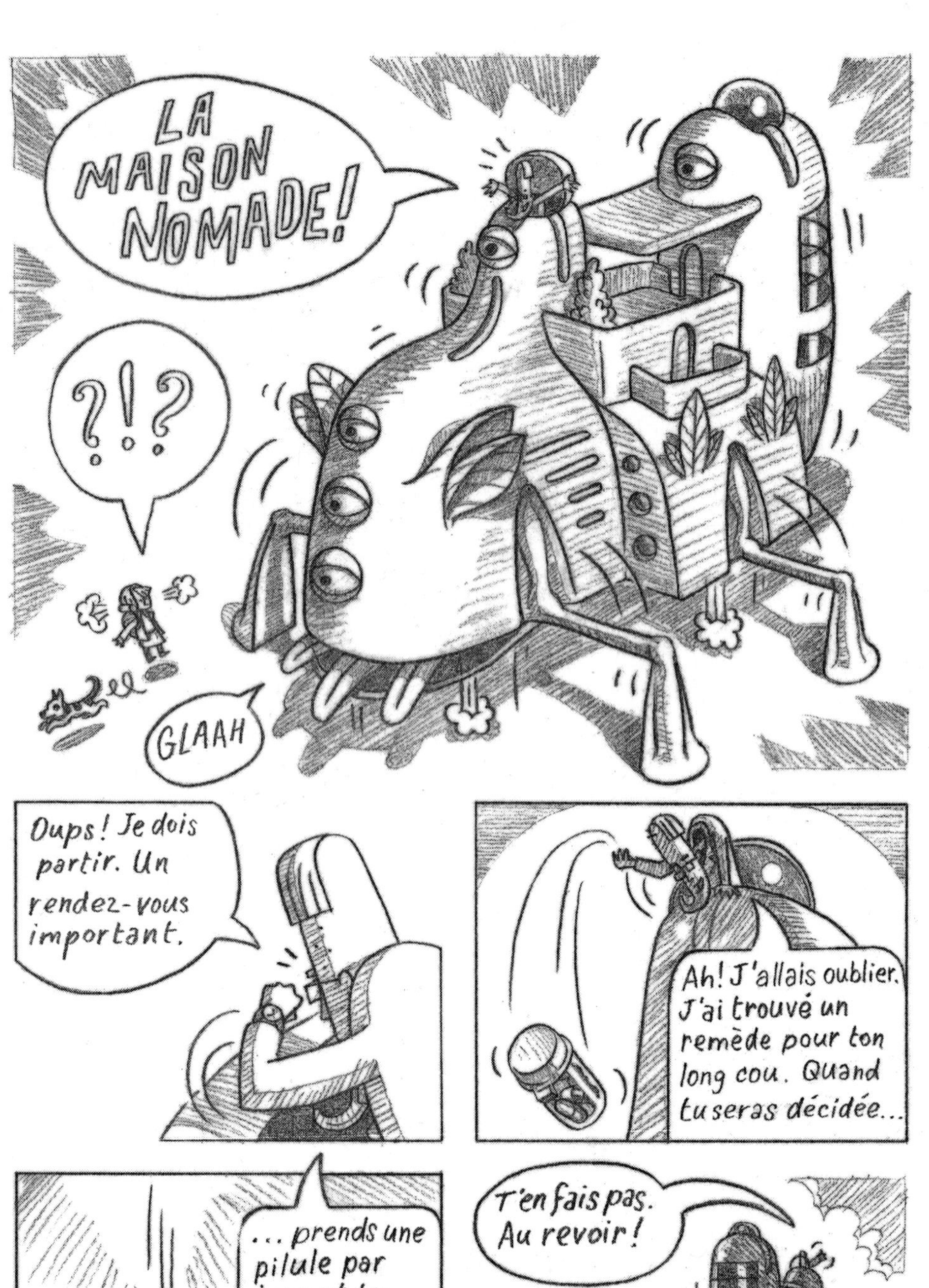
LA MAISON NOMADE!
?!?
GLAAH
Oups! Je dois partir. Un rendez-vous important.
Ah! J'allais oublier. J'ai trouvé un remède pour ton long cou. Quand tu seras décidée...

...prends une pilule par jour et tu redeviendras comme avant.
Merci! N'oubliez pas de m'écrire.
T'en fais pas. Au revoir!
FIN